M000314567

TOD IN DER OPER

Von Volker Borbein und Marie-Claire Lohéac-Wieders

TOD IN DER OPER

Volker Borbein und Marie-Claire Lohéac-Wieders

Lektorat: Pierre Le Borgne
Illustrationen: Detlef Surrey
Layout und technische Umsetzung: Annika Preyhs für Buchgestaltung
Umschlaggestaltung: Cornelsen Verlag Design

Weitere Titel in dieser Reihe
ISBN 978-3-589-01501-6 Jeder ist käuflich
ISBN 978-3-589-01502-3 Tödlicher Cocktail
ISBN 978-3-589-01503-0 Tatort: Krankenhaus

www.lextra.de
www.cornelsen.de

Die Internetadressen und -dateien, die in diesem Werk angegeben sind,
wurden vor Drucklegung geprüft. Der Verlag übernimmt keine Gewähr für
die Aktualität und den Inhalt dieser Adressen und Dateien oder solche,
die mit ihnen verlinkt sind.

1. Auflage, 1. Druck 2008

Druck: CS-Druck CornelsenStürtz, Berlin

ISBN 978-3-589-01504-7

 Inhalt gedruckt auf säurefreiem Papier aus nachhaltiger Forstwirtschaft.

INHALT

Die beigelegte Audio-CD macht diesen Krimi auch zum vergnüglichen Hörerlebnis.
Sie können diese spannende Geschichte in Ihren CD-Spieler einlegen oder über einen mp3-Player zu Hause, bei einer Auto-, Zug- oder Busfahrt anhören und genießen.

VORWORT

Konkurrenzneid und enttäuschte Liebe führen kurz vor der Premiere von „Carmen" zum gewaltsamen Tod eines Sängers.

Die Hauptpersonen dieser Geschichte sind:

Giuseppe di Rossi
Tenor. Singt sehr gut
und spielt falsch.

Nathalie Bezauber
Ehefrau von di Rossi.
Sie leidet.

Klara Fall
Geliebte von di Rossi. Sie arbeitet
im Theater in der Requisite.

Bertram Biziös
Tenor.
Geht er für seine Karriere
über Leichen?

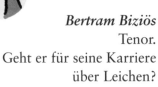

Kristin Trigantin
Zweite Geigerin im Orchester. Ehrgeizige
Freundin von Bertram. Sie will mehr.

Tony Kroeger
Solorepetitor.
Welche Rolle spielt er?

Richard Tauber
Kommissar und Freund von Patrick Reich.

Patrick Reich
Privatdetektiv. Kann er Nathalie Bezauber
wirklich helfen?

Constanze Zeigen
Freundin von Patrick Reich.

Ort und Zeit der Handlung:
Staatstheater Kassel, 10. Juli bis 22. September

KAPITEL | 1

10. Juli – 11.10 Uhr

„Herein!"

Bertram Biziös betritt den kleinen Probenraum, in dem nur ein Klavier, drei Stühle, ein Notenständer und ein Tele-
5 fon stehen.

Bertram Biziös singt seit vier Jahren als Tenor am Staats-
theater Kassel[1]. Er kommt aus Ungarn[2]. Er ist 1,76 m groß, hat grüne Augen und dunkelblondes Haar, das bis auf seine Schultern reicht. Er ist schlank und wirkt jünger, als er
10 wirklich ist: Anfang fünfzig. Im Oktober entscheidet es sich, ob sein Vertrag verlängert wird. Seine Traumrolle ist Don José in der Oper „Carmen" von Georges Bizet[3].

Tony Kroeger ist seit zwei Jahren als Solorepetitor[4] am Staatstheater tätig. Er bereitet sich auf eine Karriere als
15 Dirigent vor. Tony ist fünfundzwanzig Jahre jung. Als er am Theater anfing, hielten ihn seine Kollegen für einen Spanier: 1,82 m, dunkle, fast schwarze Haare, braune,

---

1 *www.staatstheater-kassel.de*

2 *www.wikipedia.org/wiki/ungarn*

3 Georges Bizet, französischer Komponist, 25.10.1838 – 3.6.1875;
„Carmen", Oper von G. Bizet, nach der Novelle „Carmen" von Prosper Mérimée.

4 probt einzeln mit den Sängerinnen und Sängern; bereitet sich selbst auf die Karriere eines Dirigenten vor

melancholisch blickende Augen. Auf die Idee, dass er aus England stammt, war keiner seiner Kollegen gekommen.

„Entschuldigen Sie bitte meine Verspätung. Ich hatte eben eine unangenehme Unterhaltung mit ..." Das Klingeln des
5 Telefons unterbricht den Sänger.
„In Ordnung, ich weiß Bescheid", antwortet Tony und legt den Hörer auf.

„Lassen Sie uns mit dem Duett Carmen-Don José beginnen. José ist verzweifelt[5]. Carmen möchte nichts mehr von
10 ihm wissen, obwohl er ihr seine militärische Karriere geopfert hat und aus Liebe zu ihr zum Räuber[6] wurde." Tony wartet ein paar Sekunden.
„Sind Sie bereit?"
Bertram nickt mit dem Kopf. Er beginnt zu singen:
15 „Komm, ziehen[7] wir beide fort. Wir beginnen ein neues Leben, weit von hier, an fernem Ort." Bertram ist nervös. Er singt falsch.

„Geht es Ihnen heute nicht gut?", fragt Tony besorgt.
„Doch, eigentlich schon. Nur ..." Seine Stimme zittert[8].
20 „Reden Sie schon, Sie wissen, dass Sie mir vertrauen können. Hat es mit der Premiere zu tun?"
Bertram wird weiß im Gesicht.

5 ohne Hoffnung
6 Verbrecher
7 an einen anderen Ort gehen
8 unkontrolliert, unsicher sein

„Ich war eben beim Intendanten[9], daher auch meine Verspätung. Er hat mir mitgeteilt, dass möglicherweise Giuseppe di Rossi in der Premiere den Don José singen wird. Das ist zwar noch nicht sicher, aber ...“

5 Bertram geht in dem kleinen Raum unruhig auf und ab.

„Für die Rolle würde ich alles tun“, sagt er leise zu sich selbst.

„Können wir weiter proben? Die Zeit läuft uns davon.“

10 Auch Tony Kroeger steht unter Druck.

Die Konkurrenz im Theater ist groß.

10. Juli – 12.45 Uhr

Giuseppe di Rossi betritt den Probenraum. Er strahlt über das ganze Gesicht[10].

9 Chef eines Theaters
10 sich sehr freuen

KAPITEL 2

10. Juli – Abends

„Wie war dein Tag heute?"

Bertram lässt sich mit seiner Antwort Zeit. Er blickt seine Freundin Kristin an. Er hat sie bei einem Gastspiel
5 des Orchesters des Staatstheaters in Budapest[11] kennen gelernt. Sie ist zweite Violinistin und einige Jahre jünger als er. Sie träumt von einer gemeinsamen Karriere in Berlin. Ungeduldig wiederholt sie ihre Frage. Bertram beantwortet die Frage nicht.

10 „Ich mache uns erst einmal einen Drink. Was möchtest du trinken?" Bertram wartet die Antwort nicht ab. Er geht in die Küche und kommt mit einer Flasche Rotwein zurück.

„Auf uns!", sagt er leise. Beide sitzen auf der Couch.

---

11 Hauptstadt von Ungarn, 1,7 Mill. Einwohner

Kristin lässt nicht locker[12].

„Ich merke doch, dass du etwas auf der Seele[13] hast. Sprich mit mir."

„Heute morgen hatte ich Probe mit Tony Kroeger. Ich
5 war nicht gut drauf. Ich weiß auch nicht, was mit mir los war. Weißt du ..." Seine Stimme klingt traurig.

Bertram umarmt seine Freundin.

„Rede ganz einfach."

„Der Intendant hat mich vor der Probe zu sich gebeten.
10 Wir hatten ein längeres Gespräch. Er ist mit meiner Arbeit zufrieden. Aber ..."

Bertram macht eine kleine Pause.

„Es geht um die Premiere. Der Intendant und der Regisseur haben sich noch nicht entschieden, ob ich oder
15 Giuseppe singen wird. Ich habe allmählich die Nase voll, hier am Theater immer nur die zweite Besetzung[14] zu sein! Ich singe genauso gut wie Giuseppe. Ich komme mir wie ein Fußballspieler vor, der bei wichtigen Spielen auf der Ersatzbank sitzt und nur manchmal nach der Halbzeit auf
20 das Spielfeld darf."

Kristin unterbricht ihn.

„Schatz, du singst und spielst viel besser als dein Kollege. Ich finde es ungerecht, dass stets Giuseppe bevorzugt[15] wird."

25 „Der Intendant hat mir außerdem erzählt, dass zur Premiere einer der wichtigsten Musikagenten Deutschlands

---

12 auf der Antwort bestehen
13 sich Sorgen machen
14 nie an erster Stelle stehen
15 er wird so behandelt, dass er im Vergleich zu anderen Vorteile hat

anwesend sein wird. Du weißt, was das für uns bedeuten kann?"

Bertram und Kristin rücken noch näher zusammen. Sie schweigen.

5   Beide haben dieselben Gedanken, denselben Traum: auf einer großen Bühne[16] in einer großen Stadt zu stehen, erfolgreich. Sie als erste Geigerin in einem der besten Orchester der Welt, er als umjubelter Tenor, der sich seine Rollen aussuchen kann. Endlich die Nummer eins sein.
10 Bertram und Kristin wissen, dass die „guten" Jahre eines Tenors nicht ewig dauern.
   „Was kann ich bloß tun, damit ich in der Premiere singe?", fragt Bertram fast mutlos seine Freundin.
   Kristin lächelt.
15   „Ich habe schon eine Idee. Lass mich mal machen. Du wirst schon sehen. Alles wird gut. Das verspreche ich dir."
   Kristin steht auf, geht in die Küche und holt aus dem Kühlschrank eine Flasche Champagner.

16 erhöhte Fläche im Theater, auf der die Sänger/Schauspieler stehen

KAPITEL 3

13. Juli – Abends

„Giuseppe, du kommst spät. Haben die Proben so lange gedauert?"

„Ja. Wir sind gar nicht so weit wie wir wollen. Alles
5 zieht sich hin[17]. Aber jetzt bin ich da. Reden wir von etwas Anderem."

„Hast du schon alles geregelt?", fragt Klara.

„Geregelt? Was geregelt? Was gibt es zu regeln? Ich verstehe dich nicht", sagt Giuseppe.

10 „Hast du mit deiner Frau gesprochen?", insistiert[18] Klara.

„Ach, das meinst du, hm ... noch nicht ... hm, es reicht ... es ist nicht eilig. Es ist nur eine Nebensache ... ist so gut wie geklärt", antwortet Giuseppe.

---

17 alles dauert lange
18 Klara besteht darauf

„Für mich ist es keine Nebensache, sondern die Haupt-
sache. Wie können wir zusammenziehen, wenn du deiner
Frau nicht sagst, dass du dich von ihr trennen willst?", will
Klara wissen.

5 „Ich liebe dich, das ist das Einzige, was zählt. Überlegen
wir uns lieber, wohin wir umziehen wollen. In die Stadt
oder an den Stadtrand? Eine schöne Wohnung stelle ich
mir vor ..."

„Nein, keine Wohnung. Ein Häuschen mit Garten auf
10 dem Land. Es ist gemütlicher, idyllischer ... Dann können
wir bei schönem Wetter im Garten sitzen, grillen[19], Rotwein
trinken."

„Hast du daran gedacht, dass das Theater mitten in der
Stadt liegt, und wir lange fahren müssen, um zur Arbeit zu
15 kommen? Abends nach der Vorstellung habe ich keine
Lust, Stunden zu fahren. Vor allem im Winter, wenn es
glatt ist."

„Du hast nicht jeden Tag eine Vorstellung und es ist
auch nicht jeden Tag Winter und wir haben nicht jeden Tag
20 Glatteis."

„Wir wollen den Augenblick genießen[20] und uns nicht
streiten." Giuseppe guckt Klara an und lächelt ihr zu.

„Ich liebe dich über alles und warte den ganzen Tag auf
deinen Besuch oder auf unsere Treffen, auf deine Umar-
25 mung, auf deine Küsse ...

Übrigens, was wollte Kristin von dir?", fragt Klara
abrupt[21].

---

19 braten
20 Freude haben
21 plötzlich

„Kristin? Weiß ich nicht. Ich habe nicht mit ihr gesprochen", antwortet Giuseppe.

„Jedes Mal, wenn ich sie sehe, ist sie in deiner Nähe. Das kommt mir verdächtig vor."

KAPITEL 4

17. Juli – Abends

Nathalie Bezauber wartet zu Hause ungeduldig[22] auf ihren
Mann Giuseppe. Er müsste schon längst zurück sein. Seine
Proben dauern immer länger. Es kommt ihr merkwürdig
5 vor. Endlich hört sie seinen Schlüssel in der Tür. Sie freut
sich.

„Hallo!", begrüßt sie ihn.

Giuseppe geht jedoch nicht ins Wohnzimmer, um sie zu
grüßen, sondern verschwindet[23] im Badezimmer.

10 „Ihr habt heute wieder lange geprobt. Willst du mir
nicht einmal einen Kuss geben?"

Sie bekommt keine Antwort und hört nur das Wasser in
der Dusche fließen. Sie ärgert sich. Neuerdings fühlt sie

22 ohne Ruhe, nervös
23 hier: geht schnell

sich von ihrem Mann vernachlässigt[24]. Sie hört, wie er aus dem Bad kommt, und geht zu ihm.

„Hm, du riechst gut!", sagt sie.

„Klar, ich habe gerade geduscht", antwortet er unfreund-
lich.

„Bekomme ich keinen Kuss von dir?"

„Wir haben uns schon heute Morgen gesehen!", weist er sie ab[25].

Dieser letzte Satz bringt sie auf die Palme[26]:

„Kurz, nur kurz haben wir uns gesehen. Sehr kurz."

„Ich habe morgens nicht so viel Zeit. Das Theater frisst mich auf[27]."

Nathalie klagt: „ Wir haben überhaupt kein Privatleben mehr. Du lebst im Theater, für das Theater. Ich glaube, ich gehe zu den Proben, damit ich dich sehen kann."

„Willst du mir nachspionieren[28]?", murmelt er.

„Nein, nein, nur ein bisschen mit dir zusammen sein ... Wir könnten nach den Proben „Zum Ägypter[29]" gehen."

„Das bringt doch nichts. Ich weiß gar nicht, wie lange wir proben müssen. Außerdem hat Bertram Probleme mit seinem Auto. Ich habe angeboten, ihn nach Hause zu fahren."

„Vielleicht kann ihn jemand anders mitnehmen und wir machen uns einen gemütlichen Abend ... Ich weiß schon,

24 nicht wichtig nehmen
25 ablehnen
26 wütend machen
27 Kraft nehmen
28 kontrollieren
29 Café – Restaurant neben dem Fridericianum

was ich essen möchte und auch, wo ich wieder sitzen werde: nämlich unter diesem Zelt, das ...[30]"

„Nein und nein, versprochen ist versprochen. Ich fahre Bertram nach Hause. Geh mit deiner Freundin ins Restaurant, wenn dir soviel daran liegt!", schreit Giuseppe.

Tränen[31] rollen langsam über die Wangen von Nathalie. Sie steht auf. Sie will nicht, dass ihr Mann sie weinen sieht. Ein undefinierbarer Schmerz quält sie.

Zuerst hatte sie gedacht, dass der Stress wegen der Proben und der anstehenden Premiere der Grund war, warum Giuseppe so merkwürdig war. Aber allmählich denkt sie, dass er vielleicht eine Geliebte hat. Eifersucht[32] bohrt sich in ihr Herz. Sie hält es nicht mehr aus. Sie muss es genau wissen. Sie nimmt das Telefonbuch und sucht unter „Privatdetektive". Sie liest verschiedene Namen. Welchen soll sie aussuchen? Sie wählt die erste Nummer: besetzt. Die zweite Nummer: nur ein Anrufbeantworter. Dann fällt ihr ein Name auf: Patrick Reich. So ein klangvoller, witziger Name. Sie wählt die Nummer.

„Privatdetektiv Patrick Reich. Guten Tag. Was kann ich für Sie tun?"

---

30 arabische Zelte im Restaurant, unter denen man essen kann

31 Wasser, das aus den Augen kommt

32 Angst eines Menschen, die Liebe eines anderen Menschen an eine dritte Person zu verlieren

KAPITEL 5

19. Juli – Nachmittags

Die Stimmung in der Theaterkantine ist gut. Bertram feiert seinen Geburtstag. Er hat einige seiner Sängerkollegen und Mitglieder des Orchesters zu Kaffee und Kuchen eingela-
5 den.

„Alles Gute zum Geburtstag!" Giuseppe di Rossi gratuliert als Erster. „Den wievielten Geburtstag feierst du heute?"

Giuseppe weiß genau, dass Bertram aus seinem Alter
10 ein Geheimnis macht.

„Man ist so alt, wie man sich fühlt. Und ich fühle mich zurzeit sehr gut", antwortet er ausweichend[33].

„Möge die Hälfte deiner Wünsche in Erfüllung gehen, lieber Bertram. So bleibt es spannend."
15 „Wie meinst du das, Giuseppe?"

---

33 ungenau sein

„Na ja, ich wünsche dir den Erfolg, den du verdienst. Noch einmal, alles Gute."

Bertram weiß nicht, wie er darauf reagieren soll. Er setzt sich wieder hin.

5 „Was hat dir Giuseppe gesagt?", will Kristin wissen.

„Nichts von Bedeutung", antwortet Bertram. „Die üblichen dummen Sprüche[34], die er immer von sich gibt. Du kennst ihn ja."

Madeleine, die Sängerin, die die Carmen singt, steht auf
10 und klopft mit der Kuchengabel an die Kaffeetasse:

„Lieber Bertram, im Namen aller Kolleginnen und Kollegen, möchte ich dir zu deinem Geburtstag alles Gute wünschen, Gesundheit natürlich und viel Erfolg. Dein Publikum liebt dich und so soll es auch bleiben."

15 Giuseppe hustet. Er versteht seine Kollegin nicht. Er ist doch der Publikumsliebling. Kristin schaut Giuseppe böse an. Sie hat sein Husten richtig verstanden. Sie macht gute Miene zum bösen Spiel[35].

„Möchten Sie noch Kuchen, Herr di Rossi?"

20 „Gerne. Er schmeckt köstlich. Haben Sie ihn gebacken?"

„Nein, aber ich habe dem Kantinenwirt das Rezept gegeben."

Der Intendant schaut kurz vorbei, um Bertram zu gratulie-
25 ren. Die Unterhaltungen werden lauter. Theaterwitze machen die Runde.

„Kennt ihr den schon?", fragt Giuseppe. „Der Held des Stückes muss sterben. Er soll mit einer Pistole erschossen

---

34 wenig intelligente Sätze
35 nicht zeigen, was man gerade fühlt oder denkt

werden ..." Alle lachen. In das Gelächter ruft Giuseppe laut: „Kennt ihr den neuesten Witz? Also: Der beliebteste Sänger des Staatstheaters ..."

„Das kann ja lustig werden", denkt Kristin. „Jetzt redet
5 er bestimmt über sich selbst."

Giuseppe ist aufgestanden. Er stützt sich mit beiden Händen auf den Tisch. Die Gäste warten darauf, dass Giuseppe weiter redet. Er fasst sich mit der rechten Hand an den Hals. Mit offenem Mund steht er hilflos da und starrt[36] auf
10 die Menschen. Er ringt nach Luft. In der Kantine ist es still geworden. Giuseppe kann sich nicht mehr auf den Beinen halten. Er verliert das Gleichgewicht und fällt auf den Boden.

Kurze Zeit später ist der Notarzt da. Im Krankenwagen
15 kommt Giuseppe wieder zu Bewusstsein. Er bleibt zur Beobachtung einen Tag im Krankenhaus. Nach einigen Untersuchungen steht die Diagnose fest: allergische Reaktion auf Nüsse. Als Giuseppe das Untersuchungsergebnis erfährt, geht ihm ein Licht auf[37].

20 Bis zur Premiere sind es nur noch wenige Wochen.

36 etwas lange ansehen
37 etwas plötzlich verstehen

KAPITEL 6

21. Juli – Vormittags

„Ich fahre diese Strecke sehr gern. Die Landschaft ist so schön", sagt Constanze.

„Ja, der Wald hat etwas Beruhigendes." Patrick setzt
5 den Blinker und parkt.

„Du lieber Gott. Wir sind nicht die Einzigen, die im Park spazieren gehen wollen." Constanze zeigt auf die zahlreichen Autos, die vor der Sababurg[38] stehen.

„Der Park ist so groß, keiner wird uns stören ... Komm,
10 wir joggen[39] ein Stündchen und dann gehen wir essen", schlägt Patrick vor.

„Ja, ja, ich weiß, wie sonst. Wir joggen, dann laufen wir eine Runde, um uns abzuwärmen, und wir besprechen

---

38 http://de.wikipedia.org/wiki/sababurg
www.tierpark-sababurg.de
39 lange strecken laufen

deinen neuen Fall und erst dann ... sind wir normale Menschen!", lacht Constanze.

„Übertreibe nicht, Constanze." Patrick gibt ihr liebevoll einen Kuss.

5 Beide laufen los. Sie joggen mindestens einmal die Woche zusammen. Beide verstehen sich wirklich gut. Sie haben sich durch Zufall kennen gelernt. Sie haben gemeinsam einen Französisch-Kurs in der Volkshochschule[40] besucht. Aus der Liebe zur französischen Sprache wurde 10 die Liebe zwischen Patrick und Constanze. Er ist zwar zehn Jahre älter als sie, aber der Altersunterschied stört ihn nicht.

Es ist sehr warm an diesem 21. Juli. Patrick und Constanze freuen sich auf ein großes Glas Bier und auf das Essen. Bei 15 dem Gedanken läuft ihnen das Wasser im Munde zusammen. Es ist mittlerweile 13.30 Uhr geworden. Das Restaurant ist nicht mehr so voll. Deutsche essen lieber früh.

„Kennst du dich im Theater aus?", fragt Patrick seine Freundin abrupt[41].

20 „Ich gehe gern hin, wenn du das meinst, und wenn es eine Einladung ist, sage ich sofort ja, danke!", erwidert Constanze begeistert.

„Hm, kann eine werden ... So habe ich es nicht gemeint, aber eine gute Idee ist es schon. Hm, ich dachte mehr an 25 das, was sich hinter den Kulissen[42] abspielt, an das Leben im Theater, die Schauspieler, Sänger und so ...", sagt Patrick leicht verlegen.

40 *http://www.vhs-nordhessen.de/vhs-nordhessen/sk/index.html*
41 plötzlich
42 vor der Öffentlichkeit versteckt

„Oh nein, genauso wie ich es gesagt hatte: dein neuer Fall, nicht wahr?"

„Wir gehen nach den Theaterferien ins Theater, versprochen ... in die Oper. Ja, in die Oper. Das ist besser!", sagt Patrick ganz schnell.

„Also, ich kombiniere. Du brauchst mein Licht, um deinen neuen Fall zu beleuchten. Dieser Fall hat etwas mit dem Theater, genauer gesagt mit der Oper zu tun. Stimmt's oder habe ich Recht?", antwortet Constanze, die ihren Freund durchschaut[43] hat.

„Ja, stimmt. Stell' dir vor: Giuseppe ist ein Supersänger, ein Tenor, Mitte vierzig, mittelgroß. Er hat einen kleinen Bauch, blonde Haare, die nach hinten gekämmt sind, trägt schwarze Kleidung, einen weißen Seidenschal, einen Borsalino-Hut, flirtet gern, also ein Charmeur."

„Den kann ich mir gut vorstellen." Constanze hört gespannt zu.

„Dieser Mann scheint eine Geliebte zu haben: Klara. Und eine Ehefrau hat er noch: Nathalie. In seiner Nähe ist oft noch eine Frau: Kristin. Giuseppe macht den drei Frauen Geschenke, Blumen und so."

Constanze macht große Augen: „Ein richtiger Latin Lover!"

„Ja. Das scheint aber nicht jedem oder nicht jeder zu gefallen. Er ist nämlich ohnmächtig[44] geworden, nachdem er ein Stück Kuchen beim Geburtstag seines Kollegen Bertram gegessen hatte. Jetzt sind Gerüchte[45] im Umlauf. Einige denken, dass jemand Giuseppe schaden bzw. ihn aus dem

---

43 die Absicht einer Person erkennen
44 ohne Bewusstsein, nicht wissen, was um einen herum passiert
45 Nachricht, von der man nicht weiß, ob sie wirklich wahr ist

Weg haben wollte", erklärt Patrick, der jetzt wie ein Detektiv spricht.

„Was hat Bertram damit zu tun? Ich verstehe nicht. Interessiert er sich auch für Männer?" fragt Constanze.

5 „Ach, wo denkst du hin! Nein. Bertram ist sein beruflicher Konkurrent."

„Ist er auch ein gut aussehender Mann?"

Patrick sieht seine Freundin an und lacht.

„Er ist Ungar. Er spricht mit einem leichten Akzent. Er
10 ist elf Jahre älter als Giuseppe und etwas größer. Er hat einen Pferdeschwanz[46] und einen schwarzen Schnurrbart[47]. Ich habe ihn immer rot angezogen gesehen. Er trägt im linken Ohr einen goldenen Ring. Genügt dir das?", fragt Patrick.

15 „Ein richtiger Künstler! Warum sollte er Giuseppe schaden wollen?"

„Weil beide in der Premiere am 22. September singen wollen. Aber nur einer kann dabei sein!", erklärt Patrick.

„Unser Essen kommt, lass es uns genießen. Guten Appe-
20 tit!", wünscht Constanze ihrem Freund.

„Bon appétit, mon amour!" Er sagt gern ab und zu etwas auf Französisch.

---

46 Frisur, bei der man lange Haare hinten am Kopf
   zusammenbindet
47 Haare über der oberen Lippe

KAPITEL 7

Ende Juli, Anfang August

Nathalie und ihr Mann verbringen vierzehn Tage auf der größten deutschen Insel, auf Rügen[48]. Freunde haben von der Insel geschwärmt[49], besonders von dem Badeort Binz[50].

5 Einer der Lieblingsmaler von Nathalie ist Caspar David Friedrich[51]. Schon immer wollte sie in der Natur eines seiner bekanntesten Gemälde, den 119 m hohen Kreidefelsen[52], das markanteste Wahrzeichen der Insel, sehen. Giuseppe und Nathalie unternehmen lange Spaziergänge,
10 fahren Fahrrad. Sie halten sich so lange wie möglich in der sauberen frischen Luft auf, machen Bootsfahrten, pick-

---

48 *http://ruegen.de/index.html*
49 begeistert erzählen
50 *http://www.binz.de*
51 *http://de.wikipediaorg/wiki/Caspar_David_Friedrich*
52 weiße Steilküste

nicken mittags am Strand, lesen, sprechen miteinander. Die Abende verbringen sie in gemütlichen Lokalen, essen Fischspezialitäten der Region, machen Pläne für die kommenden Tage. Über Arbeit, über das Theater wird nicht gesprochen. Nathalie ist froh darüber.

Die Zeit vergeht wie im Flug[53].

Nathalie ist glücklich. Sie fühlt sich ihrem Mann wieder näher. Es ist wie zum Beginn ihrer Beziehung. Nathalie blickt optimistisch in die Zukunft.

Ende August beginnen wieder die Proben für „Carmen". Der Alltag bestimmt von neuem das private und berufliche Leben von Giuseppe und Nathalie. Alles nimmt seinen normalen Gang. Nathalie wünscht sich zurück nach Rügen. Ein Traum.

4. September

Nathalie fühlt sich wieder allein. Sie möchte mit ihrer besten Freundin sprechen, die in Göttingen[54] wohnt. Sie verabredet sich mit ihr für den späten Nachmittag. Nathalie sucht den Autoschlüssel, der nicht an seinem gewohnten Platz liegt. Sicherlich hat ihr Mann ihn aus Versehen mitgenommen. Sie ruft ihren Mann an, ohne Erfolg. Mit der Straßenbahn fährt Nathalie zum Theater.

53 sehr schnell
54 Göttingen, Universitätsstadt im Bundesland Niedersachsen, 130 000 Einwohner *http://goettingen.de*

„Können Sie mir sagen, wo ich meinen Mann finden kann?", fragt sie den Pförtner[55].

„Augenblick bitte. Ich versuche, ihn über das Haustelefon zu erreichen." Nathalie wartet.

5 „Tut mir leid. Er ist vielleicht in seiner Garderobe. Sie kennen sich ja hier gut aus."

„In Ordnung. Dann will ich mein Glück versuchen."

Es ist nicht das erste Mal, dass Nathalie ihren Mann im Theater besucht.

10 Als sie sich der Garderobe ihres Mannes nähert, hört sie Geräusche, die aus dem Zimmer kommen. Merkwürdig. Sie bleibt vor der Tür, die halb offen ist, stehen. Nathalie traut[56] ihren Augen nicht. Ihre schlimmsten Befürchtungen[57] werden bestätigt. Ihr Mann ist nicht allein. Klara Fall 15 umarmt ihn. Nathalie stößt einen Schrei der Enttäuschung, der Verzweiflung aus. Sie hat nur noch einen Gedanken: weg von hier. Sie rennt den langen Gang zurück. Sie hat Tränen der Wut in den Augen. Giuseppe läuft seiner Frau hinterher. Klara Fall ist ratlos[58] in der Garderobe zurück-20 geblieben.

Auf der Treppe holt er Nathalie ein. Er versucht sie festzuhalten. Nathalie stößt ihren Mann zurück. Dabei verliert sie das Gleichgewicht. Ungläubig sieht sie ihren Mann an. Im Bruchteil[59] einer Sekunde gehen ihr tausend Gedanken 25 durch den Kopf. Nathalie stürzt die Treppe hinunter und bleibt leblos liegen.

---

55 bewacht den Eingang eines großen Gebäudes
56 nicht glauben, was man sieht
57 Angst
58 nicht wissen, was man tun soll
59 ein sehr kurzer Moment

KAPITEL 8

4. September

Panisch läuft Giuseppe die Treppe hinunter. Er beugt sich über seine Frau. Sie atmet noch. Erleichtert zieht er sein Handy[60] aus der Tasche und ruft den Notarzt. Klara steht
5 wortlos oben auf der Treppe und beobachtet ihn.

Fünf Minuten später kommt der Notarzt. Er untersucht Nathalie und schaut Giuseppe an.
   „Das linke Bein ist gebrochen. Ich habe Ihrer Frau etwas gegen die Schmerzen gegeben und auch ein Beruhigungs-
10 mittel. Es besteht keine Lebensgefahr."
   Sanitäter legen Frau Bezauber auf eine Trage.
   „Wir bringen sie in das Rote-Kreuz-Krankenhaus. Möchten Sie im Krankenwagen mitfahren?"

60 Mobiltelefon

„Das geht leider nicht. Ich muss etwas sehr Dringendes erledigen. Ich versuche, später zu kommen."

Giuseppe bleibt am Ort des Unglücks zurück. In Gedanken verloren blickt er auf die Stelle, wo eben noch seine
5 Frau lag.

Klara kommt die Treppe hinunter und legt dem überraschten Giuseppe die Arme um den Hals.

„Das hast du super gemacht, mein Liebling, jetzt haben wir mehr Zeit für uns!"

10 Klara will ihn küssen. Giuseppe dreht sich weg und löst sich aus der Umarmung.

„Irrtum, ich habe das nicht mit Absicht gemacht. Ich sollte jetzt erst einmal mit dem Intendanten reden und mich für heute und morgen beurlauben lassen. Danach gehe ich
15 zu meiner Frau ins Krankenhaus."

„Das ist doch nur eine Ausrede! Willst du mich loswerden, weil du mit Kristin eine Affäre hast?"

„Spinnst du[61]?"

„Wo du bist, ist auch sie und umgekehrt. Das weiß jeder
20 hier im Theater!"

„Darum geht es gar nicht. Erst jetzt merke ich, wie sehr ich meine Frau liebe. Es ist aus mit uns ..."

„Abwarten. Denk an José. Er hat seine Carmen auch noch bekommen!", droht Klara.
25 Sie geht. Der Tenor hat plötzlich Angst.

61 Bist du verrückt?

KAPITEL 9

7. September

Im Theater herrscht Hektik[62]. Am 22. September wird im Opernhaus die neue Spielzeit eröffnet.

Die Proben für „Carmen" laufen auf Hochtouren. Alle
5 Beteiligten sind gestresst: Dirigent, Orchester, Regisseur, Bühnenbildner, Requisiteure, Maler, Techniker und allen voran die Sänger und Sängerinnen. Auch der Chor kämpft mit Problemen. „Carmen" wird in französischer Sprache gesungen. Der Intendant schaut immer öfter vorbei, um
10 sich zu vergewissern, dass der enge Zeitplan eingehalten wird. Die Generalprobe findet am 20. September statt.

Für Patrick Reich ist der Fall noch nicht abgeschlossen. Noch weiß er nicht, wie es zu dem Treppensturz von Nathalie kam. War der Sturz ein Unfall? Sollte Giuseppe darunter leiden? Sollte er verdächtigt werden? Wo befan-

---

62 Nervosität

den sich zur Zeit des Unfalls Klara Fall und Kristin Trigantin? Stimmen die Gerüchte, dass Giuseppe auch ein Verhältnis mit Kristin hat? Fragen über Fragen, für die Patrick
Reich keine Antworten kennt.

5 Patrick hatte noch keine Gelegenheit, mit seiner Auftraggeberin zu sprechen. Er nutzt die Zeit, um sich im Theater
umzusehen. Er kennt den Pförtner inzwischen gut. Er hat
ihm eine Flasche Cognac mitgebracht. Patrick kann sich
ohne Schwierigkeiten im Theater bewegen.

10 Plötzlich bemerkt er Kristin und Giuseppe, die eng
beieinander stehen. Patrick versteht kein Wort, so sehr er
sich auch anstrengt. Er findet es seltsam, dass die beiden
leise miteinander reden, fast flüstern[63]. Sollten die Gerüchte
doch stimmen?

15 „Entschuldigen Sie bitte!"

Patrick wird durch einen Bühnenarbeiter, der eine
Kulisse vor sich herschiebt, bei seiner Beobachtung
gestört.

„Macht nichts", antwortet er und drückt sich gegen die
20 Wand, um dem Arbeiter nicht im Wege zu stehen. Als er
seine Beobachtung fortsetzen will, sind Kristin und
Giuseppe verschwunden. Keine Chance für Patrick Reich,
die beiden im Labyrinth der Gänge, Treppen und Zimmer
zu finden. „Pech gehabt", denkt er laut. „Wenn ich hier
25 nicht weiterkomme, kann vielleicht ein Gespräch mit
meiner Auftraggeberin hilfreich sein."

Eine Stunde später steht Patrick vor Nathalies Krankenbett.

---

63 sehr leise sprechen

„Es tut mir leid, was Ihnen passiert ist, Frau Bezauber. Ich hoffe, Sie haben keine Schmerzen mehr."

„Ich werde gut versorgt. Dank der Medikamente bin ich schmerzfrei. Schmerzfrei, was den körperlichen Zustand betrifft. Im Innern tut es sehr, sehr weh[64]."

Tränen rollen über das Gesicht von Nathalie. Patrick sieht aus dem Fenster. Ihm tut es weh, dass Nathalie seelisch leidet. Dennoch muss er ihr ein paar Fragen stellen, um sich Klarheit zu verschaffen. Er überlegt kurz, ob er später noch einmal vorbeikommen soll. Patrick weiß, dass nie der richtige Zeitpunkt für solche Fragen ist. Entschlossen dreht er sich um, nimmt einen Stuhl und setzt sich an das Krankenbett von Nathalie.

„Frau Bezauber. Ich stelle Ihnen einige sehr persönliche Fragen. Bitte seien Sie mir nicht böse."

Frau Bezauber versucht sich aufzurichten. Mit der rechten Hand zieht sie sich an einem Griff hoch. Mit der linken Hand stützt sie sich auf das Bett.

„Stellen Sie Ihre Fragen. Schlimmer kann es ja nicht kommen."

„Frau Bezauber, erinnern Sie sich bitte ganz genau an den Sturz auf der Treppe. Halten Sie es für möglich, dass Ihr Mann Sie gestoßen hat?"

„Aber nein!", antwortet Nathalie wie aus der Pistole geschossen[65]. „Nie im Leben!"

Sie hat den Griff losgelassen und liegt wieder unbeweglich im Bett. Leise fügt sie hinzu: „Betrügen? Ja! ... Aber ... Nein."

---

64 Schmerzen haben
65 sehr schnell

„Frau Bezauber, eine letzte Frage. Dann lasse ich Sie in Ruhe. Halten Sie es für möglich, dass es neben Klara Fall noch eine andere Frau im Leben Ihres Mannes gibt? Eine Frau, die auch im Theater arbeitet?"

5 „Ich weiß gar nicht mehr, was ich glauben kann oder nicht. Wer soll die andere Frau sein?"

„Kristin Trigantin."

Als Nathalie Bezauber antworten will, klopft es an der Tür. Der Arzt und eine Krankenschwester kommen zur

10 Visite.

Patrick Reich verabschiedet sich schnell von seiner Klientin und verlässt das Krankenhaus mit unbeantworteten Fragen.

KAPITEL 10

19. September

Patrick Reich betritt den Mitarbeitereingang des Staatstheaters. Er nickt dem Pförtner zu und geht weiter. Er will mit
Giuseppe reden. Er läuft zu den Garderoben und beobach-
5 tet die Schilder. Da! „Giuseppe di Rossi" steht auf der drit-
ten Tür. Bevor er anklopft, sieht der Detektiv, dass die Tür
einen Spalt offen steht[66]. Das Zimmer ist dunkel. Als guter
Detektiv beobachtet er erst einmal das Geschehen im
Zimmer. Im Spiegel sieht er einen Schatten, der in den
10 Schubladen[67] wühlt[68]. Plötzlich zieht der Schatten eine
Flasche hervor. Dann verschwindet er aus Patricks Sicht-
feld. Als die Person hinauskommt, steckt sie rasch[69] ein

---

66 die Tür ist ein wenig geöffnet
67 Fach, z. B. in einem Schrank
68 durchsuchen
69 schnell

Fläschchen in ihre Tasche. Patrick wartet, bis sie weg ist und betritt die Garderobe. Zu schnell, er hat sie nicht erkannt. Auf dem Garderobentisch steht eine halbvolle Whiskeyflasche. Er hat ein ungutes Gefühl. Patrick erin-
5 nert sich an die Bemerkung von Nathalie: „Giuseppe benutzt kein Mundwasser wie andere Sänger. Vor Auftritten gurgelt[70] er immer mit einem Schluck Whiskey gegen Mundgeruch."

Patrick Reich nimmt die Flasche an sich. Er beschließt,
10 ein paar Menschen zu befragen. Es ist Probe, zurzeit wird keiner zu sprechen sein. Am Ausgang bemerkt er Klara Fall. Patrick betrachtet sie. Sie ist kleiner als Nathalie und extrem schlank. Ihre kurzen blonden Haare passen perfekt zu ihrem violetten Lippenstift[71], der ihre vollen Lippen
15 betont. Sie ist sehr modern angezogen. Ihre engen Jeans sitzen extrem tief. Ihr T-Shirt beginnt oberhalb der Taille[72] und sitzt ebenfalls sehr eng. Ihr tiefer Ausschnitt ist nicht zu übersehen. Sie betrachtet Patrick Reich und sagt zwischen zwei Zigarettenzügen:
20 „Sind Sie der Schnüffler[73] von Nathalie?"

Patrick Reich nickt. Ihre Stimme klingt auffallend[74] vulgär[75].

„Sie wollen wissen, ob ich mit Giuseppe schlafe. Soll ich ehrlich sein? Nicht mehr. Ich glaube, Kristin ist sein neuer

---

70 den Hals spülen
71 Farbe für die Lippen von Frauen
72 ihr T-Shirt ist sehr, sehr kurz
73 negative Bezeichnung für Detektiv
74 Aufmerksamkeit auf sich ziehen
75 ordinär, schmutzig

Liebling. Aber glauben Sie mir, er kehrt zu mir zurück. Sagen Sie Nathalie das!"

Patrick ist sehr erstaunt über ihre offene, gewöhnliche[76] Art. Er schaut sehnsüchtig[77] auf ihre Zigarette. Für Cons-
5 tanze hat er aufgehört zu rauchen.

„Ich wollte Sie etwas Anderes fragen. Waren Sie bei dem Unfall von Frau Bezauber dabei?"

„Nein. Als ich ankam, lag Nathalie schon am Fuß der Treppe."

10 „Wissen Sie zufällig, was genau passiert ist?"

„Nein."

„Meinen Sie, dass Herr di Rossi seine Frau vielleicht geschubst[78] haben könnte?"

„Zuerst dachte ich das. Als ich dies Giuseppe jedoch
15 sagte, widersprach[79] er mir. Er wollte sogar zu seiner Frau zurückkehren. Da hat er mit mir Schluss gemacht."

„Wissen Sie zufällig noch, wann das war?"

„Am Tag des Unfalls. Ich glaube, es war der vierte September."

20 „Vielen Dank, Sie haben mir sehr geholfen. Wiederse-hen!"

„Tschüss, Herr Schnüffler!"

Patrick geht fort. Er will Nathalie anrufen. Vielleicht freut sie sich über die Neuigkeiten.

---

76 tiefes Niveau
77 einen starken Wunsch auf / nach etwas haben
78 nach vorne schieben
79 nicht zustimmen

KAPITEL 11

20. September – 18.30 Uhr

In einer Stunde beginnt die Generalprobe. Mitglieder des Orchesters und Sängerinnen und Sänger halten sich in der Kantine auf. Sie tragen schon die Kostüme, in denen sie
5 bald auftreten werden. Ein buntes Bild. Ferienerinnerungen an Spanien werden wach. „Carmen" hat Kastagnetten[80] mitgebracht und übt.

„Noch 30 Minuten bis zum Beginn der Generalprobe", tönt es aus einem Lautsprecher. Die Nervosität steigt. Es
10 wird lauter in der Kantine. Abseits[81] von den anderen sitzen an einem kleinen Tisch Bertram und seine Freundin. Kristin redet auf ihren Freund ein. Sie hält seine Hände. Im Theater ist es längst kein Geheimnis mehr, dass die beiden

80 kleines Musikinstrument
81 entfernt von

38

ein Paar sind. Als Bertram drei Tage zuvor die Nachricht erhielt, dass sein italienischer Kollege in der Generalprobe Don José singen wird, war er wütend. Wer in der Generalprobe auf der Bühne steht, tut dies auch in der Premiere.
5 Das ist ein altes Gesetz.

„Noch fünf Minuten." Kristin drückt die Hand ihres Freundes.
„Ich muss jetzt gehen. Denke daran: Alles wird gut. Du wirst sehen."
10 Kristin steht auf und verlässt die Kantine. Bertram bleibt sitzen. Er ist erstaunt, dass er so ruhig ist.

Die Generalprobe, die wie eine normale Vorstellung ohne Unterbrechungen durch den Regisseur oder den Dirigenten abläuft, beginnt.

15 Nach einer Viertelstunde verlässt Bertram die Kantine. Er geht in seine Garderobe. Er möchte nicht im Zuschauerraum sitzen. Er will allein sein. Über den Lautsprecher verfolgt er das Geschehen auf der Bühne. Er singt leise mit und beobachtet sich dabei im Spiegel.

20 **22.30 Uhr. Die Aufführung nähert sich dem Ende.**

Ein Platz in Sevilla[82] *vor der Stierkampfarena. Escamillo, der berühmte Stierkämpfer, geht auf die Arena zu. Neben ihm befindet sich Carmen. Eine Freundin warnt sie vor José. Sie beachtet die Warnung nicht.*

[82] Stadt in Spanien, 705 000 Einwohner *http://de.wikipedia.org/wiki/sevilla*

Alle ziehen in die Arena ein. Carmen bleibt mit José auf dem Platz vor der Arena zurück. José liebt Carmen immer noch, doch sie liebt ihn nicht mehr. Ihre neue Liebe heißt Escamillo. Carmen weigert sich, zu José zurückzukehren 5 *und ein neues Leben mit ihm zu beginnen. Sie will an ihrer Freiheit festhalten. Carmen wirft José den Ring, den er ihr einst*[83] *schenkte, vor die Füße.*

Bertram hört nur noch halb zu. Er denkt die ganze Zeit an den Satz, den Kristin in der Kantine sagte: „Alles wird gut. 10 Du wirst sehen." „Was meinte sie damit? Was könnte sie schon tun, damit er, Bertram, in der Premiere singt? Sie hat doch nicht etwa die Absicht ...?"

Bertram kann den Gedanken nicht zu Ende denken. Ein Schrei des Entsetzens[84] dringt durch den Lautsprecher. 15 Dann folgt Stille. Absolute Stille.

Bertram springt auf und läuft Richtung Bühne.

Er traut seinen Augen nicht: Giuseppe di Rossi, der eben noch Carmen töten wollte, liegt auf dem Boden, erschlagen[85] von einem Scheinwerfer, der aus fünfzehn Metern 20 Höhe von der Decke direkt auf ihn gefallen ist.

Alles wird gut?
Bertram wird schlecht.

---

83 früher
84 Schock, Panik
85 durch einen schweren Gegenstand getötet werden

KAPITEL 12

21. September

Patrick Reich, der mit vielen anderen Zuschauern an der öffentlichen Generalprobe teilnahm, ist erschüttert[86]. Auf alles war er gefasst, mit allem hatte er gerechnet, nicht aber
5 mit einem Mord auf offener Bühne. Er muss sich selbst eingestehen, dass er in der Analyse seiner Beobachtungen total falsch gelegen hatte.

Patrick informiert sofort seinen Freund, Kriminalhauptkommissar Richard Tauber. Wenige Minuten später
10 erscheint dieser mit seiner Mannschaft am Unglücksort: Gerichtsmediziner, Spurensicherung und Polizisten, die an Ein- und Ausgängen dafür sorgen, dass niemand das Theater betritt oder verlässt.

Richard Tauber interessiert sich besonders für die Personen, die für Technik und Requisite verantwortlich sind. Ein
15

---

86 aus dem Gleichgewicht kommen

Mitarbeiter, der die Garderobe von Giuseppe di Rossi untersucht hat, gibt seinem Chef einen Brief, den er in der Schublade gefunden hat. Der Kommissar liest den Brief. Er enthält eine große, leidenschaftliche Liebeserklärung von
5 Klara Fall an ihren Geliebten Giuseppe. Liebe bis in den Tod.

Richard bittet Patrick zu sich.

„Kannst du mir etwas über das Verhältnis zwischen Klara Fall und Giuseppe sagen?"

10 Vielsagend blickt Patrick seinen Freund an, der sofort versteht.

Tauber lässt Klara Fall zu sich kommen.

„Frau Fall, kennen Sie diesen Brief?"

„Darf ich bitte sehen?"

15 „Natürlich ... Ist das, Frau Fall, Ihre Handschrift?"

Klara Fall lässt sich mit der Antwort Zeit.

„Möglich. Obwohl ..."

„Sagen Sie mir, wann Sie diesen Brief geschrieben haben?"

20 Keine Reaktion.

„Lesen Sie bitte das Datum laut vor."

Wortlos gibt Klara Fall dem Kommissar den Brief zurück.

Sie beginnt zu weinen, zuerst leise, dann immer lauter.
25 Ihr ganzer Körper gerät in Bewegung. Richard Tauber gibt ihr Zeit. Er weiß aus Erfahrung: Bald wird er die Wahrheit erfahren.

Nach einigen Minuten beruhigt sich Klara. Mit einem Taschentuch, einem Geschenk ihres Geliebten, wischt sie
30 ihre Tränen ab. Sie wirkt erleichtert. In kurzen Sätzen sagt sie mit leiser, aber fester Stimme:

„Giuseppe war der Mann meines Lebens. Wir liebten uns. Wir träumten von einer gemeinsamen Zukunft. Ich

hätte alles für ihn getan, wirklich alles. Und dann der Schock. Er wollte zurück zu seiner Frau. Für immer. Seine Liebe, seine Treueschwüre[87]: alles Lügen. Für mich ist eine Welt zusammen gebrochen. Ohne ihn wollte ich nicht
5 weiterleben. Eine andere Frau außer mir an seiner Seite? Nie und nimmer. Ja, es stimmt, es war für mich sehr leicht, den Scheinwerfer so zu manipulieren, dass er zur richtigen Zeit herunterfiel. Ich bereue[88] nichts."

„Frau Fall, stehen Sie bitte auf. Ich nehme Sie vorläufig
10 wegen Mordes fest, begangen an Giuseppe di Rossi."

22. September

Die Premiere verlief ohne Zwischenfälle[89]. Bertram Biziös wurde gefeiert. Patrick Reich hat darauf verzichtet, Frau Bezauber eine Rechnung zu schicken.

---

87 ewige Liebe schwören
88 in seinem Tun keinen Fehler sehen
89 alles geht seinen normalen Gang

ÜBUNGEN ZU TOD IN DER OPER

Kapitel 1

Ü1 Haben Sie das im Text gelesen?

	Ja	Nein
1. Tony Kroeger kommt aus England.	❑	❑
2. Tony spricht fließend Spanisch.	❑	❑
3. Tony Kroeger dirigiert die Oper „Carmen".	❑	❑
4. Bertram ist Mitte fünfzig.	❑	❑
5. Bertram wirkt älter als er wirklich ist.	❑	❑
6. Bertram fühlt sich nach einem Gespräch mit dem Intendanten nicht wohl.	❑	❑
7. Giuseppe di Rossi betritt pünktlich um 12.45 Uhr den Probenraum.	❑	❑

Kapitel 2

Ü2 Welche Zusammenfassung ist die richtige?
A Bertram und Kristin träumen von einer gemein-
samen Karriere in Berlin. Sie machen Pläne, obwohl
Bertram noch nicht genau weiß, ob er auch in
Zukunft noch am Staatstheater singen wird.

B Bertram beklagt sich bei seiner Freundin Kristin
über die schlechte Behandlung im Theater. Er fühlt
sich zurückgesetzt. Kristin macht ihm Mut.
C Bertram trinkt mit seiner Freundin Rotwein.
Er erzählt ihr von seinem Gespräch mit dem
Intendanten. Bertram fühlt sich im Theater
ungerecht behandelt. Kristin versucht, ihn zu
trösten. Sie hat eine Idee.

Kapitel 3

Ü 3 **Welche Sätze sind falsch?**

	Richtig	Falsch
1. Giuseppe trifft sich am Abend mit seiner Geliebten.	❑	❑
2. Klara empfängt ihren Geliebten mit einer Frage.	❑	❑
3. Klara ist froh, dass Giuseppe endlich mit seiner Ehefrau gesprochen hat.	❑	❑
4. Giuseppe und Klara träumen von einer Wohnung im Grünen.	❑	❑
5. Der Arbeitsplatz von Giuseppe liegt außerhalb der Stadt.	❑	❑
6. Klara verdächtigt ihren Geliebten, sich mit einer anderen Frau zu treffen.	❑	❑

Ü4 **Tragen Sie die Antwort auf die Fragen in die Kästchen ein. (Vorsicht: Ä = AE, ß = ss)**

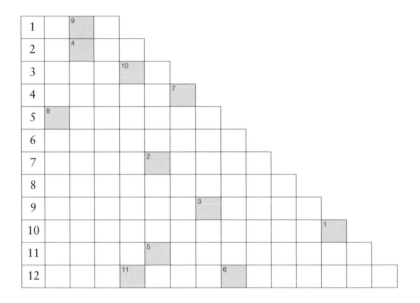

1 Wie riecht der Mann von Nathalie, als er aus der Dusche kommt ?

2 Wo möchte Nathalie im Restaurant sitzen?

3 Wie lautet der Nachname des Detektivs?

4 Wohin möchte Nathalie gehen, um ihren Mann zu sehen?

5 Wie heißt der Sänger, den Giuseppe nach Hause fahren will?

6 Wie heißt der Ort, wo Nathalie gern essen würde? „Zum ..." ?

7 Bertram weiß nicht, wie lange er proben muss. ... hat er Probleme mit seinem Auto.

8 Wohin möchte Nathalie nach den Proben gehen?
9 Nur Theater zählt für Giuseppe. Was hat das Paar
dann nicht mehr?
10 Wohin ... zuerst Giuseppe, als er nach Hause
kommt?
11 Der Schmerz von Nathalie ist ... .
12 Nathalie will ihrem Mann nicht ..., sondern nur
ein bisschen mit ihm zusammen sein.

Schlüsselwort: Nathalie sucht im ... unter
„Privatdetektive".

1	2	3	4	5	6	7	8	9	10	11

Kapitel 5

Ü 5 **Bringen Sie die Sätze in die richtige Reihenfolge.**
a. Giuseppe di Rossi gratuliert als erster.
b. Kristin bietet Giuseppe Kuchen an.
c. Giuseppe erzählt einen Witz.
d. Der Intendant schaut kurz vorbei.
e. Bertram feiert seinen Geburtstag.
f. Der Notarzt kommt.
g. Madeleine wünscht Bertram im Namen der Kollegen
alles Gute und viel Erfolg.
h. Giuseppe bleibt einen Tag im Krankenhaus.
i. Im Krankenwagen kommt Giuseppe wieder zu sich.
j. Giuseppe fällt auf den Boden.

1	2	3	4	5	6	7	8	9	10

Kapitel 6

Ü 6   Ergänzen Sie. (Vorsicht: Ü = UE, Ä = AE)

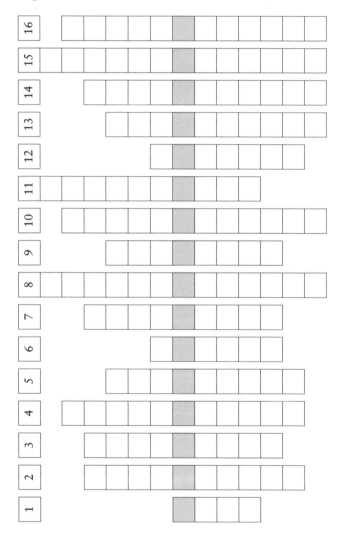

1. Im Park der Sababurg will Patrick schon wieder einen ... besprechen.
2. Beim ... von Bertram ist Giuseppe ohnmächtig geworden.
3. Constanze hofft, dass die Frage von Patrick eine ... ins Theater ist.
4. Giuseppe trägt immer einen weißen ...
5. Was machen alle Menschen im Park der Sababurg? Sie gehen ...
6. Was machen Patrick und Constanze im Park?
7. Was ist wegen des Unwohlseins von Giuseppe im Umlauf?
8. Wie trägt Bertram seine Haare? Als ...
9. Patrick möchte erfahren, was hinter den ... passiert.
10. Bertram, Giuseppe sind Sänger und ...
11. Patrick und Constanze joggen ein ... in dem Park.
12. Nathalie ist die ... von Giuseppe.
13. Bertram ist der ... von Giuseppe.
14. Bertram hat auf der Oberlippe einen ...
15. Wann werden Patrick und Constanze ins Theater gehen ? Nach den ...
16. Was für ein Sänger ist Giuseppe?

Kapitel 7

Ü7   Was gehört zusammen?

1. sich glücklich	a. nicht trauen
2. in die Zukunft	b. verabreden
3. seinen Augen	c. blicken
4. über Arbeit	d. fahren
5. sich gut	e. fühlen

6. Spaziergänge	f. sein
7. mit der Straßenbahn	g. auskennen
8. sich für den Nachmittag	h. unternehmen
9. über etwas froh	i. aufhalten
10. sich an der frischen Luft	j. sprechen

Kapitel 8

Ü8 Beantworten Sie die Fragen.
1. Warum ist Giuseppe erleichtert?
2. Womit ruft Giuseppe den Arzt an?
3. Was stellt der Notarzt fest?
4. Wohin bringt der Krankenwagen Nathalie?
5. Warum fährt Giuseppe in der Ambulanz nicht mit?
6. Was denkt Klara über den Unfall von Nathalie?
7. Was vermutet Klara zwischen ihrem Freund und Kristin?
8. Was hat Giuseppe jetzt verstanden, was ihn und seine Frau betrifft?

Kapitel 9

Ü9 Richtig oder falsch? Kreuzen Sie an.

	Richtig	Falsch
1. Die Oper „Carmen" wird in Französisch gesungen.	❏	❏
2. Die Generalprobe findet am 20. September statt.	❏	❏
3. Patrick Reich kennt sich im Theater gut aus.	❏	❏

4. Patrick versteht, worum es in   ❏   ❏
   dem Gespräch zwischen Kristin
   und Giuseppe geht.
5. Nathalie Bezauber hat noch   ❏   ❏
   große Schmerzen.
6. Patrick bleibt vor dem   ❏   ❏
   Krankenbett stehen.
7. Nathalie kann sich überhaupt   ❏   ❏
   nicht bewegen.
8. Nathalie lässt sich mit der   ❏   ❏
   Beantwortung der Fragen viel
   Zeit.
9. Patrick verlässt zufrieden das   ❏   ❏
   Krankenhaus.

Kapitel 10

Ü 10 Beantworten Sie die Fragen.
   1. Wo befindet sich Patrick?
   2. Was bemerkt Patrick durch die offene Tür?
   3. Was hat Nathalie dem Detektiv über ihren Mann
      erzählt?
   4. Was erfährt Patrick von Klara?
   5. Was möchte Patrick nach dem Gespräch mit
      Klara Fall machen?

Kapitel 11

Ü 11 Was gehört zusammen?

1. Hinweis auf eine Gefahr
2. Das Sterben, das Ende eines Lebens
3. Ein lautes Geräusch, das ein Mensch oder ein Tier macht
4. Die letzte Probe vor der ersten Aufführung einer Oper, eines Schauspiels
5. Eine Oper, ein Schauspiel auf einer Bühne dem Publikum zeigen
6. Leicht erhöhte Fläche in einem Theater, auf der die Sänger/Schauspieler zu sehen sind
7. Der Zustand, frei zu sein (Unabhängigkeit)
8. Der Zustand, in dem es still ist, frei von Geräuschen
9. Etwas, das geschieht, sich ereignet
10. Ein Ziel, einen Plan haben

a. Generalprobe

b. Warnung

c. Aufführung

d. Stille

e. Schrei

f. Tod

g. Bühne

h. Freiheit

i. Absicht

j. Geschehen

Ü 12 Finden Sie die Zusammenfassung des letzten Kapitels in dem Durcheinander. Streichen Sie die Wörter, die nicht dazugehören weg. (6 Sätze)

Patrick	Theater	Reich	rund	eckig	sieht	Giuseppe	klein	di
Rossi	dick	dünn	auf	der	Carmen	José	Bühne	Sababurg
Park	dünn	Er	nett	informiert	seinen	braun	kalt	Freund
Richard	Tauber.	Bertram	Madeleine	Tage	Ein	italienisch	Mitarbeiter	Ungar
Sänger	Kristin	Kommissars	orange	schwarz	hat	einen	rot	Brief
blau	grau	in	hell	der	dunkel	Garderobe	von	rosa
gefunden.	schlank	Er	gelb	wurde	von	warm	Klara	Fall
Kassel	geschrieben.	Göttingen	Beim	Schnaps	Wein	Verhör	Bier	Wasser
Klara	Fall	Limonade	Saft	den	deutsch	französisch	Mord	zu.
Sie	arabisch	ungarisch	hat	russisch	ihren	Bein	Gesicht	Freund
Lippe	aus	Auge	Ohr	Eifersucht	Arm	umgebracht.	Hand	Nase
groß	sterben.	nass	des	grün	Giuseppe	blond	gibt	Schluss

LÖSUNGEN

Kapitel 1
Ü1 Ja: 1, 6, 7
    Nein: 2, 3, 4, 5

Kapitel 2
Ü2 C ist richtig

Kapitel 3
Ü3 Richtig sind: 1, 2, 6
    Falsch: 3, 4, 5

Kapitel 4
Ü4   1 g u t
     2 z e l t
     3 r e i c h
     4 p r o b e n
     5 b e r t r a m
     6 a e g y p t e r
     7 a u s s e r d e m
     8 r e s t a u r a n t
     9 p r i v a t l e b e n
    10 v e r s c h w i n d e t
    11 u n d e f i n i e r b a r
    12 n a c h s p i o n i e r e n

Lösungswort: TELEFONBUCH

Kapitel 5
Ü5 e-a-g-b-d-c-j-f-i-h

Kapitel 6
Ü6 1. Fall
    2. Geburtstag
    3. Einladung
    4. Seidenschal
    5. spazieren

6. joggen
7. Geruechte
8. Pferdeschwanz
9. Kulissen
10. Schauspieler
11. Stuendchen
12. Ehefrau
13. Konkurrent
14. Schnurrbart
15. Theaterferien
16. Supersaenger
Lösungswort:
FRANZOESISCHKURS

Kapitel 7
Ü7 1e, 2c, 3a, 4j, 5g, 6h, 7d,
    8b, 9f, 10i

Kapitel 8
Ü8 1. Seine Frau atmet noch.
    2. Mit seinem Handy.
    3. Nathalie hat ein
       gebrochenes Bein.
    4. Ins Rote-Kreuz-Kranken-
       haus.
    5. Weil er etwas erledigen
       muss.
    6. Sie denkt, dass Giuseppe
       seine Frau die Treppe
       runtergeschubst hat.
    7. Sie denkt, dass beide ein
       Liebespaar sind.
    8. Er weiß, dass er seine Frau
       immer noch liebt und zu
       ihr zurück möchte.

Kapitel 9
Ü9 Richtig: 1, 2, 3
    Falsch: 4, 5, 6, 7, 8, 9.

Kapitel 10
Ü10 1. Im Staatstheater.
    2. Eine Person sucht irgend-
       etwas in der Garderobe
       von Giuseppe und steckt
       etwas in ihre Tasche.
    3. Er gurgelt mit Whiskey
       gegen Mundgeruch.
    4. Giuseppe möchte zu seiner
       Frau zurückkehren.
    5. Er möchte bei Nathalie
       anrufen, um ihr die gute
       Nachricht mitzuteilen.

Kapitel 11
Ü11 1b, 2f, 3e, 4a, 5c, 6g, 7h,
    8d, 9j, 10i

Kapitel 12
Ü12 Patrick Reich sieht Giuseppe
    di Rossi auf der Bühne
    sterben.
    Er informiert seinen Freund
    Richard Tauber.
    Ein Mitarbeiter des Kommis-
    sars hat einen Brief in der
    Garderobe von Giuseppe
    gefunden.
    Er wurde von Klara Fall
    geschrieben.
    Beim Verhör gibt Klara Fall
    den Mord zu.
    Sie hat ihren Freund aus Eifer-
    sucht umgebracht.

Track	Titel
1	Nutzerhinweise, Copyright
2	Vorwort
3	Kapitel 1
4	Kapitel 2
5	Kapitel 3
6	Kapitel 4
7	Kapitel 5
8	Kapitel 6
9	Kapitel 7
10	Kapitel 8
11	Kapitel 9
12	Kapitel 10
13	Kapitel 11
14	Kapitel 12

TOD IN DER OPER
EIN FALL FÜR PATRICK REICH

Gelesen von Oliver Tautorat

Regie: Maria Funk
                    Christian Schmitz
Toningenieur: Christian Schmitz
Studio: Clarity Studio Berlin